30 Minutos

...Para escribir

cartas comerciales

Director de colección:
Ernesto Gore

Edición original:
Kogan Page Limited

Título original:
30 Minutes... To Write Sales Letters

Traducción:
Camila Loew

Diseño de tapa:
Más Gráfica / Grupo

Maquetación de interiores:
Nuria Reverter

Ian Linton

30 Minutos
... Para escribir
cartas
comerciales

GRANICA

BARCELONA - BUENOS AIRES - MÉXICO
SANTIAGO - MONTEVIDEO

© 1997 Ian Linton / Kogan Page Limited

© 2001 EDICIONES GRANICA, S. A.

Balmes, 351, 1.º 2.ª - 08006 BARCELONA
Tel.: 34 93 211 21 12 - Fax: 34 93 418 46 53
E-mail: barcelona@granica.com

Lavalle 1634, 3.º - 1048 BUENOS AIRES
Tel.: 5411 4374 1456 - Fax: 5411 4373 0669
E-mail: buenosaires@granica.com

Bradley, 52, 1.º
Col. Anzures - 11590 MÉXICO D.F.
Tel: 52 5 254 4014 / Fax: 52 5 254 5997
E-mail: mexico@granica.com

Antonio Bellet, 77, 6.º
Providencia
Santiago (Chile)
Tel. - Fax: 56 2 235 0067
E-mail: santiago@granica.com

Salto, 1212
11200 Montevideo (Uruguay)
Tel.: 59 82 409 69 48
Fax: 59 82 408 29 77
E-mail: montevideo@granica.com

http://www.granica.com

ISBN: 84-7577-851-8
Depósito legal: B. 2.674-2001

Impreso en BIGSA
Sant Adrià del Besós (Barcelona - España)

ÍNDICE

INTRODUCCIÓN

Estar al frente de una fuerza comercial puede resultar extremadamente complejo: diseñar los planes, dirigir campañas, informar al personal de venta y a los distribuidores sobre productos y campañas nuevas, mantener el contacto con clientes importantes.

Sin embargo, muchas de estas tareas pueden ser llevadas a cabo rápida y eficientemente gracias a un enfoque «sistemático». *Treinta minutos para escribir cartas comerciales* ofrece una serie de modelos de cartas para ahorrar tiempo, para que usted pueda planificar, implementar y dirigir una amplia gama de tareas de comunicación comercial. El enfoque es lo suficientemente flexible para ser adaptado a empresas con diferentes niveles comerciales y utilización de marketing, y lo ayudará a hacer el uso más efectivo de su tiempo y sus recursos.

El espectro de una carta de negocios es mucho más amplio que los simples productos que se venden por carta o los servicios «desde la página». El libro cubre una amplia gama de cartas que lo ayudarán a mejorar su rendimiento en cada etapa del ciclo de la venta:

❱ Venta de productos y servicios.

❱ Promoción de ventas.

❱ Servicio postventa.

❱ Mantener el contacto con un cliente.

❱ Proveer información al cliente.

❱ Proveer información sobre productos.

❱ Ofrecer servicios de atención al cliente.

❱ Dar a conocer los servicios.

❱ Asegurar la retención del cliente.

❱ Mejorar la comunicación con la fuerza comercial.

Podrá utilizar este libro para mejorar aspectos específicos de la comunicación con la fuerza de ventas, o como base para llevar a cabo una venta completa y un programa de comunicación con el cliente.

VENDER PRODUCTOS Y SERVICIOS

Envíe para mayor información

La forma más corriente de una carta comercial ofrece al destinatario información sobre un producto o servicio. En este ejemplo, lo que se ofrece es un equipo de telecomunicaciones. Es poco probable que el destinatario compre «desde la página», por lo tanto el paso siguiente es contactar a la empresa para recibir mayor información. La carta incluye:

▶ Una garantía sobre la calidad del producto.

▶ Un incentivo para que el cliente solicite mayor información.

▶ Un incentivo para comprar.

▶ Un mecanismo de respuesta libre.

Nivel elevado, confianza total, una amplia selección, atención en todo el país y el precio adecuado. Estas son todas las cualidades que usted busca al comprar equipos de telecomunicaciones.

Y podrá encontrar todas estas cualidades en Ringer, la marca número uno del mercado en sistemas telefónicos y equipos ofrecidos por ABC Comunicaciones. Con Ringer, usted tendrá la selección más amplia en productos y sistemas de calidad y podrá encontrar todos los detalles en nuestro comprensivo Cuadernillo de Productos.

Tendrá la seguridad de que el equipo que compra es el mejor para su empresa, ya que ABC es el distribuidor líder del mercado en soluciones para las comunicaciones empresariales. La marca Ringer cuenta con una reputación excepcional de calidad y seguridad, respaldada por el servicio de red nacional de ABC, que provee cobertura las veinticuatro horas del día.

Para obtener toda la información sobre la marca Ringer, solicite ya mismo su copia gratuita del Cuadernillo de Productos Ringer y recibirá un cupón válido por un descuento de 600 dólares sobre su próxima compra de productos Ringer. Para no desaprovechar esta oferta, envíe un fax o mande el formulario adjunto, que no necesita sello, hoy mismo.

Vender «desde la página»

No todas las cartas comerciales tienen que enviar al destinatario a la fase siguiente. Productos simples pueden ser vendidos «desde la página». Las editoriales hacen uso extensivo del correo directo para vender revistas o libros. En este ejemplo, una editorial ofrece un directorio a un precio reducido. La carta incluye:

❱ Los beneficios del directorio.
❱ Un incentivo para comprar.
❱ El mecanismo de solicitud.

Apuntar hacia nuevas perspectivas de negocios es la clave para un éxito continuo. El Anuario de construcción provee una base excepcional para comenzar un negocio, ayudándolo a:

▶ Llegar a 10.000 contactos en 3.000 empresas de la construcción.
▶ Identificar las tendencias significativas de la industria de la construcción.
▶ Conocer los productos ofrecidos por 250 sectores claves de la industria.
▶ Planificar su próxima campaña de marketing.

Ahora, en su edición número 25, el Anuario de construcción ha sido revisado y renovado en profundidad, para ahorrarle tiempo, esfuerzo y dinero en la investigación de mercado.

Para ahorrarle todavía más dinero, el Anuario de construcción se le ofrece con un descuento especial del 25% si lo solicita antes del 30 de noviembre. Naturalmente, si usted no está completamente satisfecho, puede simplemente devolver el Anuario dentro de los 14 días siguientes a la compra y le reembolsaremos todo su dinero.

Para recibir su ejemplar, por favor complete el formulario y envíelo con su pago a la dirección de arriba.

PD: Las primeras 25 solicitudes recibirán dos entradas gratuitas para la Ceremonia Anual de Premios de la Industria de la Construcción, que se celebrará el 15 de enero.

Responder a un pedido de información

Cuando un cliente solicita mayor información, es la oportunidad ideal para insistir sobre los beneficios del producto o servicio. Este fragmento de una carta más larga provee a clientes que han respondido a una publicidad en la prensa con información sobre un programa de capacitación para consultoras. La carta describe los beneficios detalladamente e incentiva a los posibles clientes a que reserven una plaza. La carta incluye:

▶ El reconocimiento del pedido de información.
▶ El conocimiento de las preocupaciones del cliente.
▶ Los beneficios detallados del servicio.

▶ Un refuerzo del valor del servicio.
▶ Un mecanismo de respuesta sencillo.

Gracias por solicitar información sobre el Programa de Negocios Independientes. Hemos tenido la oportunidad de hablar con muchos grandes ejecutivos quienes, al igual que usted, están considerando una carrera nueva como consultores independientes. Naturalmente, personas en su posición tienen algunas preocupaciones sobre el cambio, y muchos nos han dicho que se alegrarían ante la oportunidad de hablar de estas preocupaciones con alguien que «ha estado allí y lo ha experimentado.»

Por lo tanto, nos gustaría invitarlo a participar de una serie de reuniones de un pequeño grupo para hablar de lo que significa ser un consultor independiente. Las reuniones son gratuitas y no hay ninguna obligación posterior. En cada reunión habrá unas diez personas y al frente habrá un consultor independiente que previamente haya ocupado un puesto importante a nivel del consejo directivo de una empresa. Las reuniones estarán cuidadosamente estructuradas para ofrecerle una visión comprensiva del mundo real del consultor independiente.

De repente, se supone que debe ocupar la posición de un gerente de empresa, un representante comercial, un investigador de mercado, un contable y un escritor, todo en el espacio de un día de trabajo. Le explicaremos cómo enfrentarse a esto y dónde puede buscar apoyo profesional. Podrá comprobar por sí mismo los beneficios reales de trabajar en una red. También lo ayudaremos a encontrar sus puntos fuertes y débiles en relación a su nuevo puesto. Podrá conversar sobre sus preocupaciones concretas con otras personas que están en la misma posición, y con un consultor independiente en ejercicio de la profesión. Después de la sesión, tendrá una comprensión más clara de las oportunidades que se le ofrecen y las habilidades sobre las que tendrá que concentrarse para lograr el éxito.

Por todo esto, la primera reunión es fundamental. Es vital que comprenda sus fuerzas y debilidades personales para concentrarse en las habilidades nuevas que necesita adquirir. La primera reunión es gratuita, pero creemos que es una inversión valiosa de su tiempo para asegurar el éxito futuro de su empresa. Tendrá una visión clara de su futuro, y un entendimiento de lo que de verdad significa ser consultor independiente.

Si desea concertar una cita, por favor llame al...

Dirigirse a clientes individuales

Idealmente, una carta comercial debe estar dirigida al destinatario como individuo. El mailing personalizado es la respuesta más lógica, pero no siempre es la solución más práctica o económica. La carta debe reflejar, en la medida de lo posible, las preocupaciones específicas de las diferentes personas que tomarán la decisión de comprar. En esta serie de cartas, una empresa promociona los beneficios de la videoconferencia a tres grupos de personas que influyen sobre la decisión final de comprar:

- Directores generales.
- Directores de finanzas.
- Directores de recursos humanos.

Cada carta refleja distintas áreas de interés e incluye:

- Experiencias parecidas en la empresa del mismo distribuidor.
- Beneficios comerciales claros.
- Un ofrecimiento de mayor información o una invitación a un evento.

Versión para el director general

Estoy seguro de que, como la mayoría de los directores generales, usted quiere sacar el mejor rendimiento de sus empleados y mejorar su rendimiento comercial general.

Nuestra empresa utiliza la videoconferencia para tratar con una amplia gama de asuntos «del personal». Hemos encontrado que podemos desarrollar un efectivo trabajo en equipo sin que importe el lugar, haciendo uso de la videoconferencia. A pesar de tener más reuniones, hemos reducido significativamente los costes de viajes, y nuestros clientes han encontrado los mismos resultados. Como podrá comprobar en la copia adjunta del artículo europeo, uno de nuestros clientes logró reducir a la mitad su presupuesto de viajes de 240.000 dólares, utilizando el sistema de videoconferencia.

También hemos notado beneficios más amplios y estratégicos. Las reuniones por videoconferencia son más efectivas ya que la gente no se aleja de los negocios. Hemos encontrado que las decisiones se toman de manera más rápida y hemos logrado reducir los tiempos en un gran número de proyectos de desarrollo de nuevos productos.

Espero que encuentre esto de valor y si usted o sus colegas desean más información, quedan invitados a asistir al lanzamiento de nuestros productos de videoconferencia. Encontrará los detalles en el folleto adjunto.

Versión para el director de finanzas

Como la mayoría de los directores de finanzas, estoy seguro de que usted se preocupa por los costes de los viajes de negocios, en constante aumento. Parecería que la única manera de reducir los costes es viajar aún más para obtener mejores descuentos.

En esta empresa, nos enfrentamos al mismo problema. Al tener fábricas por toda Europa, y oficinas del grupo en el resto del mundo, conocíamos la importancia de reunir a la gente para lograr la efectividad comercial, pero también nos preocupábamos por el nivel de los costes.

Recientemente hemos decidido utilizar nuestra misma tecnología para resolver este problema. Ahora poseemos conexiones de videoconferencia en todo el grupo y me enorgullece decir que hemos conseguido reducir el presupuesto anual de viajes de negocios en un * por ciento.

Como podrá verificar en la siguiente copia del artículo europeo, uno de nuestros clientes, un fabricante de etiquetas con cuatro fábricas en distintos países de Europa, logró reducir a la mitad su presupuesto anual de viajes de 240.000 dólares, utilizando la videoconferencia. Los ahorros son bastante significativos.

Si a su empresa le interesa alcanzar este nivel de ahorros, usted o alguno de sus colegas podrían beneficiarse de asistir al lanzamiento de nuestros productos de videoconferencia. Encontrará los detalles en el folleto adjunto.

Versión para el director de recursos humanos

Estoy seguro de que, como la mayoría de los profesionales de recursos humanos, usted quiere sacarle un máximo rendimiento a sus empleados.

Los cambios en la práctica laboral y tecnologías nuevas como la videoconferencia significan que ahora podemos adoptar un enfoque más flexible frente a la situación, y sin embargo mantener el contacto esencial entre la gente. En esta empresa, estamos utilizando la videoconferencia para abordar una amplia gama de «asuntos del personal»: dónde localizar al personal, cómo asegurarnos de que las personas adecuadas trabajen en equipo de manera efectiva, cómo aprovechar el tiempo y cómo reducir el desgaste inevitable de viajar de un sitio a otro.

La videoconferencia ayuda a reunir a la gente rápida y fácilmente, donde sea que estén. También la encontramos de mucho valor ahora que un número cada vez mayor de personas trabaja desde casa.

Espero que encuentre de valor esta información y si usted o sus colegas desean saber más, quedan invitados a asistir al lanzamiento de nuestros productos de videoconferencia. Encontrará los detalles en el folleto adjunto.

Auto-examen

1. ¿Qué ofrecería usted como incentivo a los posibles clientes para que soliciten más información?

2. ¿Qué productos de su empresa serían adecuados para una venta «desde la página»?

3. ¿Qué información incluiría en la respuesta a un pedido de información sobre la venta?

4. ¿Quiénes son las personas que toman las decisiones sobre los productos y servicios que compra su empresa? ¿Qué elementos interesan más a cada sector?

SERVICIO POSTVENTA

Carta de bienvenida

El período inmediatamente posterior a una venta constituye la oportunidad ideal para fortalecer la relación con el cliente. Una carta de bienvenida le permite agradecer al cliente por comprar el producto o servicio e inicia la siguiente etapa de la relación. La carta acompaña a un «paquete de bienvenida» que incluye directivas para ponerse en contacto con la empresa, información sobre otros productos y servicios, ofertas especiales y un cuestionario. La carta incluye:

- ❱ Información sobre cómo ponerse en contacto con la empresa.
- ❱ Un resumen del paquete de bienvenida.
- ❱ Una promesa de contacto continuo.
- ❱ Un recordatorio para devolver el cuestionario.

Nos alegra que haya elegido utilizar el servicio Firstrate. Nos sentimos orgullosos de ofrecer un servicio personal para cada uno de nuestros clientes y si usted quiere hablar sobre cualquier aspecto de Firstrate, no dude en contactarme a mí o a cualquier miembro del equipo de Atención al Cliente directamente. Para ayudarnos a responder a la brevedad, sería útil que tuviera a mano su número de cliente... cuando llame.

Para asistirlo a sacar el mejor rendimiento de su sistema Firstrate, encontrará en el paquete de bienvenida información sobre otros productos y servicios Firstrate. Si desea mayor información sobre cualquiera de ellos, sólo llame al Servicio de Atención al Cliente.

Estaré en contacto con usted continuamente para verificar que esté satisfecho con el servicio que obtiene de Firstrate, y me aseguraré de que lo mantengan al tanto de las últimas novedades de la empresa. También concertaremos una cita cada tres meses para revisar los asuntos comerciales.

Finalmente, le agradecería que se tome unos minutos para completar el cuestionario del paquete de bienvenida. Nos ayudará a cotejar nuestro rendimiento con sus expectativas y nos permitirá responder a cualquier preocupación que pueda tener. Gracias nuevamente por utilizar el servicio Firstrate. Es nuestro objetivo trabajar en conjunto con usted para llevar su empresa adelante.

Ofertas postventa

Las ventas de productos ofrecen la oportunidad de incrementar los negocios ofreciendo a los clientes accesorios u otros elementos para complementar la compra original. En este ejemplo, al comprador de una herramienta eléctrica se le ofrece un descuento para suscribirse a una revista de bricolaje. La carta ofrece una cantidad de beneficios importantes:

- Refuerza el valor de la compra al ayudar al comprador a utilizar más o mejor el producto.
- Provee una fuente para aumentar los ingresos.
- Ofrece una canal de comunicación continua con el cliente.

Ha adquirido recientemente un taladro eléctrico de nuestra línea Reading, y esperamos que haya podido utilizarlo a su favor.

Para ayudarlo a sacar el máximo provecho de su taladro y abordar algunas tareas difíciles, le ofrecemos una tarifa especial de suscripción para nuestra nueva revista trimestral de bricolaje, «Un poco de aquí, otro poco de allí». Le ofrecemos el primer número sin cargo y disfrutará del resto del año con un descuento del diez por ciento. Y, si elige pagar su suscripción por pago domiciliado, recibirá un juego gratuito de piezas de mampostería.

Cada número de la revista está lleno de ideas para el bricolaje y ahorrará más dinero con nuestras ofertas para lectores. Ha hecho una inversión firme al comprar ese taladro y ahora podrá utilizarlo para mejorar su inversión más importante: su hogar.

No se demore, la oferta del juego gratuito de mampostería dura hasta fin de mes, así que envíe el cupón hoy mismo. Sólo complete los datos y envíelo, no necesita sello.

PD: Si precisa más accesorios para su taladro, hay una rebaja especial en la sucursal más cerca de su casa.

Ofrecer al cliente una garantía extendida

Ofrecer una garantía demuestra cuidado por el cliente y ayuda a retener al cliente después de la venta. Si bien es normal que un comprador reciba una garantía al comprar un producto, el momento de la compra es el ideal para venderle una garantía extendida. Si el cliente no compra la oferta inmediatamente, debería volver a ofrecerle la posibilidad de hacerlo cada vez que se ponga en contacto con él; por ejemplo, cuando la garantía caduque o cuando el producto necesite un servicio. La carta refuerza los beneficios de la garantía extendida e informa al cliente sobre los plazos para apuntarse.

No es demasiado tarde para disfrutar de la tranquilidad con el Seguro Total.

Si no solicitó el Seguro Total cuando compró su nueva lavadora, todavía está a tiempo. Su primer año de garantía caduca el...., pero puede continuar disfrutando muchos de los beneficios al solicitar el Seguro Total en los próximos treinta días.

El Seguro Total le dará una tranquilidad completa en cuanto a gastos inesperados de reparación y le dará el beneficio adicional de la visita a domicilio durante el período de cobertura. Podrá elegir entre tres planes de Seguro Total de acuerdo con sus necesidades particulares, y estaremos encantados de aconsejarle sobre el más adecuado para usted.

Encontrará los detalles completos del Seguro Total en el folleto adjunto. Si quiere disfrutar de la seguridad y tranquilidad totales, llame al... ahora mismo.

Verificar la satisfacción del cliente con el proceso de venta

Muchos cuestionarios sobre la satisfacción del comprador se dirigen a la opinión del cliente sobre el producto. Sin embargo, el período de postventa provee una oportunidad para verificar el funcionamiento del proceso de venta. El siguiente cuestionario pregunta por la opinión del cliente sobre el proceso de venta en una fábrica mayorista.

Gracias por tomarse unos minutos para completar nuestro cuestionario de servicio al consumidor. Sus respuestas son de gran valor para identificar las áreas en las que podríamos mejorar nuestro servicio. Cuando haya completado el formulario, por favor envíelo en el sobre que adjuntamos, que no necesita sello.

1. Cuando se encontraba en el salón de ventas,
   ¿algún miembro de nuestro personal
   se acercó a usted?   SI/NO

2. El vendedor o la vendedora,
   ¿se presentó a sí mismo?   SI/NO

3. ¿Cuáles de las siguientes preguntas
   le hizo el vendedor?
   Estilo/gama deseados   SI/NO
   Presupuesto   SI/NO
   Accesorios buscados   SI/NO

4. El vendedor, ¿le ofreció alguno de los siguientes elementos?
   Folleto   SI/NO
   Condiciones de la garantía   SI/NO
   Precio   SI/NO
   Tarjeta comercial   SI/NO

5. ¿Cuán satisfecho estaba usted con
   los servicios de venta recibidos?   Muy satisfecho
                                              Medianamente satisfecho
                                              Insatisfecho

Si desea agregar algún comentario, por favor utilice el espacio que le ofrecemos debajo.

Auto-examen

1. ¿Qué tipo de información incluiría en un paquete de bienvenida para sus clientes?

2. ¿Qué ofrecería a sus clientes como servicio de postventa?

3. ¿Qué beneficios ofrecería una garantía extendida a sus clientes?

4. ¿Qué elementos del proceso de venta podría poner a prueba a través de un cuestionario para sus clientes?

MANTENER EL CONTACTO CON LOS CLIENTES

Una vez terminada la venta y la bienvenida al cliente, ¿cómo se mantiene el contacto hasta la próxima venta? Este capítulo, como también los siguientes, describen una cantidad de maneras de incrementar el nivel de comunicación con sus clientes. En este capítulo, examinaremos el concepto de un «club de clientes». Los clientes habituales reciben información y ofertas especiales, dirigidas idealmente a sus necesidades de compra individuales. Además de mantener el contacto, un club también ofrece la oportunidad de formarse un perfil cada vez más detallado del cliente.

El «Club del Color» descrito en este capítulo se dirige a empresas que ofrecen servicios de reparación de vehículos accidentados, y está operado por una empresa que fabrica sistemas de pintura de acabado. Una serie de cartas se utiliza para incentivar la participación en el club, para hacer ofertas especiales y para actualizar la información.

Carta de introducción

Esta carta es enviada a los clientes que ya existen, invitándolos a asociarse al Club del Color. Describe los beneficios del club e incluye un incentivo para asociarse.

Usted es un cliente valioso desde hace tiempo, y por lo tanto nos gustaría invitar a su empresa a convertirse en miembro de nuestro nuevo Club del Color.

Como privilegio por ser miembro, su taller recibirá el más comprensivo y actualizado asesoramiento sobre el color del mercado, por medio de técnicas sofisticadas para hacer llegar la última información a sus manos en cuanto esté disponible. Además, podrá aprovecharse de tener un acceso prelanzamiento a las últimas tinturas especiales de base, como también un nuevo e interesante concepto de información sobre el color: el Anuario del Color, que se ofrece a los miembros de forma gratuita.

Y hay mucho, mucho más que beneficios de color. A través del Club del Color, su empresa podrá:

Ahorrar, con descuentos sobre una gama de servicios de taller:

▶ Servicios de diseño de taller, utilizando las últimas tecnologías informáticas de diseño para mejorar la composición del color y el flujo del trabajo.
▶ Sistemas de presupuestos e informes por ordenador, que asegurarán que sus ganancias sean correctas.

Beneficiarse de los sistemas avanzados de búsqueda de color:

▶ Descuentos sobre sistemas de búsqueda de color por ordenador que reemplazan a la microficha.

▶ Descuentos sobre escalas de mezcla de color, para ayudarlo a organizar los materiales de su sala de mezclar.

Desarrollarse, a través de ofertas especiales sobre cursos de capacitación para su personal:

▶ Incluyendo un cupón gratuito que vale para un curso introductorio de 200 dólares.

Crecer, al compartir sus conocimientos y experiencias con los de otros profesionales, y relajarse en las reuniones del club, que mezclan los negocios con el placer.

Todo esto conduce a una oportunidad demasiado buena para pasarla por alto. Por una módica suscripción de tan sólo 125 dólares al año, su empresa podrá aprovechar esta excelente gama de ofertas. Y, si se asocia antes del 12 de noviembre, podrá ganar con su participación en el club de manera inmediata. El nombre de su empresa participará de un sorteo. Y, como representante oficial de su empresa, usted podrá ser el afortunado ganador de un viaje para dos parejas a la exposición de Dallas, Texas en diciembre.

Por lo tanto, no se demore, nos gustaría darle la bienvenida al Club del Color. Sólo complete el formulario adjunto y envíelo hoy mismo. Y no se olvide, si se asocia antes del 12 de noviembre, podría ganar ese premio tan especial.

Carta de bienvenida

Esta carta es enviada a los miembros nuevos. Insiste sobre los beneficios del programa y provee información esencial para miembros.

Bienvenido al Club del Color. Estamos encantados de que haya decidido juntarse al número cada vez mayor de empresas que se están beneficiando con nuestra información de avanzada sobre el color, y de las ofertas especiales para mejorar la confianza en el trabajo con el color.

Encontrará aquí dentro todo lo que necesita para comenzar, además de los detalles acerca de algunas ofertas especiales que —esperamos— lo ayudarán a mejorar su rendimiento del color más aún. No se olvide de contarles a sus clientes que se ha asociado. Esto demuestra que usted está comprometido con los niveles más elevados de precisión del color, y lo ayudará a incrementar la confianza y satisfacción de su clientela.

Esté atento a las próximas ofertas y las novedades de información sobre el color, ya que sus privilegios como miembro recién han comenzado. Esta es sólo la primera etapa de una sociedad continua. Seguiremos comunicándonos con usted para mantenernos al tanto de sus necesidades cambiantes, y continuaremos desarrollando el Club del Color para que le otorgue la confianza en el color que usted necesita.

Esperamos verlo en un próximo evento del Club del Color y si tiene alguna pregunta o comentario, por favor háganos saber.

Información sobre eventos

Esta carta acompaña a un programa de eventos del club para el año entrante. Al incluir eventos, la empresa aumenta las oportunidades para conocer a los clientes cara a cara.

La primera vez que hablamos del concepto del Club del Color, nos dijeron claramente que el Club tendría que ser para personas. Querían la oportunidad para conocer a colegas de la profesión en un ambiente relajado, con el énfasis en mezclar los negocios con el placer.

El programa de seminarios del año entrante reunirá a diferentes personas de la profesión para escuchar, aprender y preguntar sobre asuntos claves como ISO 9001, el Acto de Protección Ambiental y la inversión en capacitación. Estuvimos más que satisfechos con la respuesta al programa del año pasado, y seguiremos haciendo de los seminarios una parte esencial de nuestra estrategia futura.

Actualizar al cliente

Esta carta mantiene actualizados a los clientes sobre los desarrollos en la empresa y en los productos. Los miembros reciben información previa sobre productos nuevos, como también acceso privilegiado a los servicios especiales a medida que son implementados.

Nos dijo que quería estar actualizado en cuando a las novedades en el mundo del color. La información técnica es un elemento integral del servicio del Club, y lo mantendremos al tanto de los últimos desarrollos de productos y ambientales, como también de la información nueva sobre el color antes de la edición del próximo «Anuario».

Para asegurarse de que tenga la información en sus manos tan pronto como sea posible, estaremos utilizando el servicio rápido de fax. Y no lo olvide, como miembro tendrá acceso privilegiado a la línea telefónica gratuita del Club del Color, para obtener consejos inmediatos de especialistas del color.

Usted quería información actualizada sobre sistemas de taller nuevos para ayudarlo a estar por encima de la competencia. Además de valiosa información sobre el color, le daremos acceso prelanzamiento a las últimas tinturas de base que proveen los colores «exóticos» que se utilizan en la gama actual de colores para coches. Estas tinturas no suelen estar a la venta, pero nosotros las ofrecemos exclusivamente para los miembros de Club del Color.

Concurso para miembros

Este concurso ofrece a los miembros un premio que beneficiará sus negocios: un viaje a una exposición del gremio en los Estados Unidos. La carta explica el espectro del premio e incluye los detalles para participar.

Gane un viaje a Dallas en diciembre.

Llevaremos a dos parejas a Bodytalk: la muestra internacional de reparación de vehículos. Como todo lo demás en Texas, se supone que va a ser de lo más grande y lo mejor. Es el evento internacional: la muestra de talleres de coches más grande del mundo, con más de 2.000 expositores, y usted tendrá tiempo para visitarlos a todos mientras disfruta de lo mejor de la hospitalidad tejana.

Los afortunados ganadores viajarán directamente a Dallas el 1 de diciembre, y permanecerán hasta el 7 de diciembre en un hotel estupendo. El jueves será un día libre para darle a usted y su acompañante la oportunidad de saborear Texas, y luego tendrá la oportunidad de conocer a los otros visitantes en la fiesta de bienvenida especial.

Viernes, sábado y domingo son días de exposición y hemos organizado un programa de eventos para ayudarlo a aprovechar al máximo la amplia selección de exhibiciones, seminarios y conferencias. La muestra cierra a las dos de la tarde del domingo, así que tendrá la tarde libre y el lunes tendrá la opción de visitar los talleres locales para observar por sí mismo la práctica norteamericana. Mientras disfruta de todo esto, también nos encargaremos de su acompañante, con visitas y paseos para ayudarlos a sacar el mayor provecho de esta ciudad glamorosa.

Desafortunadamente, todo lo bueno tiene un final, y regresará el 7 de diciembre, preparado para poner en práctica todas las ideas nuevas. Estamos seguros de que Bodytalk será una experiencia para recordar y es una excelente manera de darle la bienvenida al Club del Color.

Por lo tanto, no se demore: asegúrese de enviar su formulario de asociación antes del 12 de noviembre. Sortearemos los nombres de los ganadores afortunados el día 17 de noviembre.

Ofertas para cursos de capacitación

El objetivo esencial del Club del Color es ofrecer a sus miembros los servicios que hagan que su negocio se beneficie. En esta carta, a los miembros se les ofrece un cupón que les da derecho a descuentos sobre programas de capacitación. La carta describe los beneficios comerciales de la capacitación y describe a grandes rasgos las facilidades disponibles.

Las empresas exitosas reconocen que el aumento del rendimiento comercial no puede lograrse solamente con una administración eficaz. Es esencial incentivar al personal para aprovechar sus talentos al máximo, y la capacitación es el ingrediente vital.

Para ayudarlo a aprovecharse de las excelentes facilidades de capacitación a su disponibilidad, hemos incluido un cupón que le da derecho a un curso de un día en nuestro Centro de Capacitación sobre destreza con el color, para un miembro de su equipo. El Centro de Capacitación trabaja con las estrategias más avanzadas de la industria. El Centro lleva a cabo cursos que satisfacen las necesidades reales de talleres profesionales de los noventa, e imparte los cursos de una manera eficiente, conveniente y económica. Nuestro objetivo es ayudar a su personal a sacar los mejores resultados de nuestro sistema de pintura. El beneficio para usted es un alto nivel de rendimiento, y clientes satisfechos.

Como la profesión de la pintura es altamente técnica, complementamos nuestro enfoque práctico con sólidas clases teóricas. Apuntamos a darle a cada representante una comprensión del potencial de los sistemas de pintura y asegurarnos de que estén familiarizados con las nuevas tecnologías, como también las implicaciones ambientales y de seguridad de los modernos sistema de pintura.

Si desea más detalles sobre los cursos de capacitación ofrecidos por el Centro, por favor llame al teléfono de asistencia del Club del Color. Para reservar su plaza gratuita para el curso de destreza con el color, llame directamente al Centro de Capacitación, y mencione su número de socio.

Auto-examen

1. ¿Cómo sería un club de clientes de su empresa?

2. ¿Qué servicios y ofertas especiales serían apropiados para sus miembros?

3. ¿Cómo podría utilizar los eventos para incrementar el contacto con los clientes?

4. ¿Cómo podría incentivar a sus clientes para que hagan uso de sus servicios de capacitación?

INFORMAR AL CLIENTE

Los clientes tienen que estar seguros de que su empresa continuará proveyéndolos de un servicio de calidad confiable, por lo tanto necesitan estar actualizados en cuanto a los desarrollos de la empresa. Información sobre nombramientos nuevos, servicios nuevos, proyectos de inversión, rendimiento financiero y caminos a seguir son elementos vitales del proceso de comunicación con el cliente.

Carta de nombramiento nuevo

Esta carta da a conocer a un nuevo representante. Provee sus antecedentes personales y también perfila otros desarrollos comerciales que ayudarán a mejorar el servicio de atención al cliente. La carta está diseñada para aumentar la confianza del cliente.

Me gustaría presentarme como su nuevo especialista en repuestos. Me haré cargo personalmente de la comercialización de sus repuestos, y me gustaría conocerlo pronto para conversar sobre cómo podemos mejorar nuestro servicio para ayudarlo. Si bien soy nuevo en este puesto, no soy un extraño en la empresa. Llevo tres años trabajando aquí y es una gran oportunidad para trabajar más cerca de nuestros consumidores de repuestos.

Como ya sabrá, recientemente hemos completado el reacondicionamiento de nuestra oficina de repuestos: hemos agregado líneas telefónicas, personal y mercaderías. Ahora podremos atender a sus preguntas y pedidos rápida y eficazmente. Hemos ampliado la zona de carga y descarga para para que nuestras furgonetas de entrega puedan encaminarse rápidamente para satisfacer a los pedidos urgentes. También hemos impartido un curso de capacitación a todo el personal de repuestos , y esperamos que usted ya esté notando las diferencias.

Si tiene alguna preocupación, o si hay algún aspecto de nuestro servicio de repuestos sobre el que le gustaría hablar, éste es el momento para hacerlo. Me haré cargo personalmente de su empresa, para asegurarme de que los cambios sean llevados a cabo hasta el final.

Espero conocerlo en breve; nos pondremos en contacto con usted para concertar una cita.

Nuevo servicio de asesoramiento comercial

Además de los nuevos nombramientos en ventas, deberá informar a sus clientes sobre los tipos de asesoramiento que pueden obtener de la fuerza de ventas. En esta carta, una empresa de sistemas para oficinas presenta una gama de servicios de asesoramiento disponibles para el cliente. Esto enriquece la credibilidad del equipo y aumenta las oportunidades para estar en contacto con el cliente.

Comprendemos las complejidades crecientes a las que se enfrenta al escoger productos de sistemas para oficinas. Por lo tanto, hemos diseñado un equipo especial de consultores comerciales para ofrecerle asesoramiento comercial, servicios y administración.

Podrán ayudarlo a comprender la manera en que los cambios en los modelos organizativos, las tecnologías emergentes, el crecimiento de los sistemas multifuncionales y los nuevos métodos de trabajo afectan a los sistemas de oficinas, y le aseguramos que nuestras soluciones serán lo suficientemente flexibles para satisfacer sus necesidades cambiantes a lo largo del período contratado.

El equipo mantendrá reuniones evaluativas regulares con usted para identificar necesidades futuras y verificar el rendimiento y la calidad de los sistemas instalados. Si se va a mudar o sus necesidades cambian, podremos desarrollar un presupuesto para sobrellevar el cambio. El crecimiento de la tecnología digital y la convergencia creciente de las diferentes tecnologías permiten nuevas oportunidades para mejorar la calidad, la productividad y la eficiencia. El equipo le informará sobre los nuevos desarrollos y lo ayudará a encontrar oportunidades para aprovechar la tecnología.

Su asesor comercial personal se podrá en contacto con usted a la brevedad para concertar un encuentro preliminar.

Carta sobre un nuevo
salón de ventas

Si usted piensa abrir un nuevo salón de ventas, informe a los clientes sobre la ubicación, el horario de trabajo y las facilidades disponibles. Esta carta explica las mejoras en el servicio de atención al cliente que el nuevo salón traerá, y también informa a los clientes sobre cualquier arreglo provisional mientras la edificación se lleve a cabo.

El reacondicionamiento completo de nuestra sucursal de Sherriel está progresando según lo programado y se espera su terminación para junio de este año. Cuando la obra haya concluido, el complejo ofrecerá facilidades para la venta de vehículos nuevos y usados, servicios, repuestos y reparaciones, todo en un mismo sitio.

Será la culminación de una inversión de tres años y 2,5 millones de dólares lo que nos permitirá ofrecer los mejores niveles de servicio, todo lo que nuestros clientes deseen. La respuesta a los nuevos salones de venta en York Road ha sido sumamente positiva, y nuestros clientes de servicios y reparaciones pronto podrán beneficiarse con estos mismos niveles.

Cuando se complete, el complejo de York Road ofrecerá muchos servicios nuevos: un lavadero de coches, una tienda que ofrece una amplia gama de repuestos y accesorios, y un servicio de taller conveniente para escapes, neumáticos y baterías de todo tipo de coches.

Ampliar la gama de servicios disponibles para nuestra clientela es una parte importante del nuevo desarrollo. Ahora podemos reparar vehículos de todas las marcas, a niveles de fábrica. Las empresas que operan con distintos tipos de vehículos aprecian la comodidad y flexibilidad de poder traer todos sus vehículos al mismo sitio, y podemos ofrecer las mismas facilidades a propietarios particulares.

Mientras progresa la obra del edificio, trabajamos como de costumbre. El complejo va tomando forma. Hemos limpiado el terreno y los cimientos ya están colocados. Con el pronóstico de mejor tiempo para trabajar, la apariencia de York Road podría cambiar significativamente a lo largo de los próximos meses. Lo mantendremos al tanto de los avances.

Carta explicando la manera de contactar a la empresa

¿Está seguro de que sus clientes pueden contactar a la persona adecuada cuando llaman? Al simplificar el procedimiento de contacto, podrá enriquecer la calidad del servicio de atención al cliente. Esta carta explica cómo se ha simplificado el contacto a través de la utilización de líneas telefónicas gratuitas y un contacto particular.

Le adjuntamos su tarjeta telefónica personal. Podrá utilizarla para contactarnos para cualquier pregunta o solicitud de servicio. Cuando quiera llamarnos, simplemente llame al número gratuito que figura en la tarjeta.

Accederá directamente a un miembro del equipo de atención al cliente, y la llamada será gratuita. No se olvide de mencionar su número de cliente cuando llame.

El equipo de atención al cliente atenderá inicialmente a todas sus dudas, incluyendo:

> preguntas técnicas
> solicitudes de servicio
> procesamiento de pedidos
> preguntas sobre facturación
> dudas generales
> información sobre productos.

Un miembro del equipo de atención al cliente atenderá la llamada y evaluará sus necesidades exactas. Si el representante de atención al cliente no puede resolver el asunto, lo transferirá a un especialista adecuado.

Su número de cliente, junto con el número telefónico gratuito, lo proveen de un punto de contacto particular y conveniente para todos los servicios. Esperamos que le resulte fácil de utilizar.

Carta sobre nuevas maneras de obtener información

Puede hacer uso de la tecnología para enriquecer la manera de ofrecer el servicio y brindar información a sus clientes. Aquí, una empresa de ingeniería utiliza un servicio de distribución por fax para acelerar el proceso de ofrecer actualizaciones técnicas.

No puede obtener información de manera más rápida a menos que se asocie a la carretera de la información. Si tiene aparato de fax, recibirá información actualizada sobre nuestros productos tan pronto como esté disponible. Antes de Fastfax, la única manera de enviar información detallada rápidamente era utilizar el teléfono, o enviar a nuestros representantes comerciales con impresos informativos, sólo cuando éstos estuvieran preparados. Con el fax eliminamos el retraso innecesario.

El año pasado, enviamos por fax consejos sobre cambios técnicos e información de servicios que resultó valiosa para muchos de nuestros clientes. Un director de ingeniería nos dijo que había tenido que modificar un procedimiento de servicio y no lograba encontrar ninguna referencia. Llegó el fax esa mañana y contenía justo la información que precisaba.

No olvide guardar la información en su archivo tan pronto como llegue; nunca se sabe cuándo la podrá necesitar.

Carta sobre los proyectos futuros de una empresa

Contar a sus clientes los planes para el futuro es una manera de incentivar su confianza y sienta las bases de una relación a largo plazo. Al describir a grandes rasgos sus proyectos de inversión y desarrollo, asegura a sus clientes que podrá seguir ofreciéndoles un servicio de alta calidad. En esta carta, una empresa de servicios de sistemas presenta un folleto con su «visión» del futuro.

Nuestra visión: cada cliente recomienda Complus.

La gente podrá decir que es un poco pretencioso, pero éste es nuestro objetivo. Por lo tanto si usted está buscando un socio para ayudarlo a mantener el ritmo y conservar su status en el mercado, es hora de que hablemos.

Cuando preguntamos a nuestros clientes cómo describirían nuestra función, nos dicen que «hacemos para las empresas todas las cosas que son demasiado inteligentes para hacer por sí mismas.» Al ocuparnos de todos los procesamientos y las funciones que podrían comprometer sus recursos valiosos, su personal queda libre para concentrarse en llevar su empresa adelante.

Nos damos cuenta de que estamos asumiendo una gran responsabilidad al hacernos cargo de estos asuntos, por lo tanto nos gustaría brindarle mayor información sobre nuestro compromiso con la calidad del servicio al cliente, y nuestros planes estratégicos. Mejorarnos continuamente, esta idea está en el centro de todo lo que hacemos y cada acción está motivada por el deseo de lograr una mayor satisfacción del cliente.

En este folleto encontrará un breve resumen de los servicios que ofrecemos. Es sólo un comienzo, ya que queremos conocer su empresa. Cuando empecemos a hablar, comprenderá lo que significa para nosotros el trabajo conjunto. Muy pronto esperamos que sea uno de los clientes que recomiendan Complus.

Auto-examen

1. ¿Mantiene actualizados a sus clientes sobre los nuevos nombramientos?

2. ¿Ha introducido cambios en las ventas para mejorar el servicio de atención al cliente?

3. ¿Está por abrir nuevos salones de venta? ¿Qué impacto tendrán sobre los servicios de atención al cliente?

4. Sus clientes, ¿pueden ponerse en contacto fácilmente con su organización?

5. Sus clientes, ¿están al tanto de los proyectos futuros de su organización?

INFORMACIÓN SOBRE EL PRODUCTO

Verificar las necesidades de información del cliente

¿Está seguro de que sus clientes tienen toda la información que necesitan sobre sus productos y servicios? Una concesionaria de coches habló con clientes locales informalmente y descubrió que pocos de sus clientes eran conscientes de la totalidad de los servicios que se les ofrecían. Esta carta servía en parte como herramienta de investigación de mercado y en parte como forma de conscientizar a los clientes y generar negocios adicionales para la concesionaria.

¿A qué se dedican Motores Anytown? Cuéntenos y participe de nuestro sorteo navideño.

Mucha gente cree que sólo vendemos y reparamos coches. De hecho, repintamos, vendemos neumáticos y escapes, realizamos exámenes ITV, vendemos gasolina, y muchas cosas más.

La mayoría de la gente no se da cuenta de esto, y por lo tanto nos gustaría conocer su opinión sobre Motores Anytown. Si quiere completar este cuestionario, échelo en un buzón o tráigalo a nuestra tienda, e ingresaremos su nombre en un sorteo gratuito para una canasta navideña. No tiene que comprar nada, sólo queremos conocer su opinión.

¿A qué se dedica Motores Anytown?

Por favor devuelva a Motores Anytown

Nombre... Dirección... Teléfono...

Marca y modelo de coche... Patente...

Nuestros servicios

(por favor marque con una cruz los servicios que crea que ofrecemos)

servicios con cita previa	☐	reparaciones	☐
examen ITV	☐	revisión de neumáticos	☐
revisión de escape	☐	venta de coches nuevos	☐
venta de coches usados	☐	revisiones de seguridad	☐
pintura	☐	reparaciones de accidentes	☐
alquiler de coches	☐	cambios de aceite	☐
auxilio mecánico	☐	accesorios	☐
gasolina	☐		

Carta de anuncio sobre nuevos productos

Cuando da a conocer un producto que incorpora nuevas tecnologías o un enfoque nuevo a problemas existentes, tal vez tenga que educar a sus clientes. Esta carta promociona un servicio de base de datos utilizado para descubrir crímenes y fraudes en el sector de servicios financieros. La carta pone énfasis en la sencillez de su uso, como también la efectividad del producto.

¿Con cuánta rapidez y efectividad puede investigar casos de fraude y asalto?

Ya sea una institución financiera padeciendo fraude o asaltos, o una fuerza policial investigando un incidente, sería más fácil «obtener un resultado» si pudiera rápidamente obtener datos sobre incidentes diferentes para comparar. Si tiene un ordenador, podría tener los datos que precisa sobre su escritorio en tal sólo diez minutos. Cuadros e imágenes de alta calidad, junto con información comprensible sobre fechas, horarios, sitios y detalles sobre sospechosos están allí sobre su pantalla. Establecer conexiones entre eventos separados se vuelve más fácil y los patrones se ponen en evidencia rápidamente, ayudándolo no sólo a resolver los casos velozmente, sino también a planificar medidas preventivas.

El apoyo vital que necesita es el Resuelve crímenes, una base de datos segura y única, que se actualiza constantemente y brinda acceso a los registros de miles de casos de asalto y fraude. Datos que han sido verificados y comprobados pueden ser transmitidos a cualquier lugar del país a través de líneas telefónicas digitales de alta calidad, y están disponibles para su uso inmediato.

Software especialmente desarrollado para su ordenador le permite ingresar los detalles de incidentes específicos y buscar en la base de datos la información sobre incidentes o agresores reiterados. Las imágenes de alta calidad y los datos comprensibles disponibles sobre su pantalla aceleran la investigación y reducen esfuerzos inútiles. El software ofrece altos niveles de seguridad, como también facilidades de búsqueda potentes.

Para mayor información o una demostración del Resuelve crímenes, por favor llame al...

Carta sobre la gama de productos

El lanzamiento de un producto nuevo es una excelente oportunidad para recordar a sus clientes el resto de la gama, y para demostrar el compromiso de su organización para mejorarse continuamente. Esta carta de une empresa petroquímica acompaña a una revista que describe la gama completa de productos, como también los productos nuevos.

Nos alegra que usted haya estado utilizando productos de la gama Flow. Desde su lanzamiento en 1993, aceites Flow se ha convertido en la firma favorita de clientes por todo el país, y este año se espera que las ventas de aceite sobrepasen el millón de litros.

Las respuestas de nuestros clientes indican que el precio, el servicio y la calidad son los motivos más importantes para su elección de aceites Flow. Nos sentimos orgullosos, por lo tanto, de anunciar que la gama Flow se está ampliando más aún, de acuerdo con sus necesidades.

En este número de «Noticias Flow», encontrará los detalles de la gama completa de Flow: una fuente única de productos de alta calidad que incluye aceites para motores, caja de marchas y transmisión, además de productos para el taller como limpiadores para carburadores y el sistema de frenos, gránulos absorbentes, productos de limpieza para manos y guantes de seguridad.

También encontrará información sobre productos nuevos actualmente en vías de producción, además de información sobre programas de marketing y asesoramiento técnico. Si no ha utilizado la gama completa de productos Flow, puede solicitar un paquete especial de lanzamiento, que cubre la gama completa y viene con un regalo de 50 envases de 300 mililitros de líquido limpiaparabrisas. Para obtener más información sobre productos Flow, contacte a su director de área ahora mismo.

Actualizar un producto existente

Un cliente que ha invertido en un producto caro tal vez no quiera cambiarlo a corto plazo. Sin embargo, al ofrecerle las actualizaciones, puede ayudarlo a enriquecer el producto e incrementar los ingresos entre ventas más grandes. En esta carta, un fabricante de productos de telefonía explica los beneficios de la actualización.

Tomó una decisión inteligente al comprar el Sistema 1. Invirtió en un sistema que puede crecer junto con su empresa.

Con más de cinco millones de líneas instaladas en cuarenta países, el Sistema 1 ha logrado construirse una reputación de calidad, seguridad y excelente ingeniería, al brindar a sus usuarios la conexión y flexibilidad para el soporte de voz, datos, texto y vídeo sobre líneas telefónicas ya existentes.

Desde su lanzamiento, el Sistema 1 ha sido enriquecido constantemente gracias a actualizaciones de software para otorgar una funcionalidad aún mejor. Desarrollos como el buzón de voz, líneas rotativas, integración digital de telefonía y telefonía inalámbrica han incrementado la eficiencia y mejorado la calidad del servicio de atención al cliente.

La actualización es un proceso sencillo y económico que le permitirá proteger su inversión en el Sistema 1 y sacar el mejor provecho de los últimos avances en telecomunicaciones, sin tener que cambiar su infraestructura existente. Los usuarios no tendrán que ser reeducados: pueden utilizar los mismos manuales, y el interfase de usuario no se cambia.

El folleto adjunto le explica cómo actualizar su sistema existente y describe los costes, el servicio, la flexibilidad y los beneficios para la productividad tanto para los aspectos nuevos como los ya existentes del Sistema 1.

Si quiere enterarse de cuán fácil es actualizar el Sistema 1, contacte a su administrador de cuenta.

Auto-examen

1. Sus clientes, ¿son conscientes de todos los productos y servicios que su empresa ofrece?

2. ¿Cuán importante es reeducar al cliente ante el lanzamiento del un nuevo programa de productos?

3. ¿Puede utilizar las actualizaciones para incrementar las ventas a clientes existentes?

ATENCIÓN
AL CLIENTE

Brindar consejos, información y asesoramiento a sus clientes puede ayudar a mejorar las relaciones.

Tratar con preguntas del cliente

Los clientes no siempre saben cómo obtener información y consejos. Esta carta de una empresa de servicios financieros explica lo servicio de asesoramiento disponible y cómo utilizarlo.

Comprendemos que de vez en cuando tenga dudas sobre sus asuntos financieros y le gustaría hablar con alguien inmediatamente.

Tal vez le interese saber si su nivel actual de cobertura es suficiente para permitir un cambio en la situación. Tal vez no tenga claro algún aspecto de su plan personal. Tal vez quiera consejos sobre inversiones futuras u otras formas de ahorro. Está haciendo su declaración de rentas y necesita ayuda. Si se le ajusta el presupuesto, tal vez quiera consejos sobre cómo posponer los bonos o cómo renunciar a una póliza. Tal vez sólo quiera información sobre otros productos y servicios.

Cualquiera sea su pregunta, el apoyo y los consejos de nuestro personal están tan cerca como una simple llamada. Llame al servicio de atención al cliente al 0800 123456 a cualquier hora del día o de la noche y obtendrá una respuesta inmediata. Hasta las ocho de la noche entre semana o la una de la mañana los sábados, nos dedicaremos a resolver su duda de inmediato. Si es más tarde, lo llamaremos al día siguiente.

Tenemos productos y servicios para satisfacer una amplia gama de necesidades, que incluyen:

seguros
ahorros
pensiones
hipotecas
inversiones

Si desea información sobre cualquiera de los arriba mencionados,
contáctenos al 0800 123456.

Ofrecer al cliente una guía administrativa

Para ayudarlos a llevar adelante sus negocios con efectividad, las empresas necesitan información concisa y actualizada sobre los últimos desarrollos en su industria. En esta carta, una empresa de distribución ofrece a sus clientes una guía para las últimas técnicas logísticas. La oferta demuestra los conocimientos de la empresa sobre la distribución y ayuda a fortalecer la relación con los clientes.

Investigaciones recientes han demostrado que una distribución efectiva es un factor clave para asegurar la rentabilidad en la industria de alimentos. Si quiere mejorar su administración de la distribución, encontrará en el informa adjunto, Distribución: el camino hacia adelante, una guía valiosa para planificar el desarrollo de sus propios sistemas.

Trata los asuntos esenciales con los que se encuentran los directores de distribución, e incluye historiales de seis empresas conocidas que utilizaron nuestro software logístico para convertir a la distribución en un arma competitiva.

Para asistirlo a tomar el próximo paso hacia una administración de la distribución exitosa, ofrecemos a cada cliente que solicite el sistema una consulta gratuita con un experta independiente.

Para no desaprovechar esta oferta especial, por favor llame gratis a su administrador de cuenta al...

Invitación a un seminario

Los seminarios, como las guías administrativas, demuestran los conocimientos de una empresa y brindan una excelente oportunidad para un contacto a alto nivel con las diferentes personas a cargo de tomar las decisiones en una empresa. En esta carta, una consultora de capacitación programa una serie de seminarios sobre el desarrollo de la administración.

«Camino al crecimiento»: ¿acaso su equipo administrativo está atrapado en el carril más lento?

Muchas empresas hablan del crecimiento, pero pocas lo logran. Culpan al gobierno, a las condiciones económicas, al Ayuntamiento, al consumidor...pero, ¿cuántas empresas se molestan en mirar hacia adentro, a su propio equipo administrativo?

Los miembros de su equipo administrativo, ¿están desarrollando los negocios o protegiendo sus empleos? Un equipo de administración cauteloso no es una receta adecuada para la innovación, la creatividad y el crecimiento. ¿Cómo vencer la inercia? Creemos que dentro de cada organización hay un pequeño grupo de directivos emprendedores y dinámicos, con la actitud positiva que se necesita para salir adelante.

Los directivos dinámicos sobresalen fácilmente. Son ambiciosos, innuevan, incentivan a sus empleados, y a menudo irritan a sus colegas. Se los reconoce por su carácter. Los directivos con carácter siempre tienen las «calificaciones adecuadas». Tal vez tengan un máster en administración de empresas, o tal vez no tengan un expediente formal, pero tienen ese «algo acertado».

En los próximos días, nos pondremos en contacto con usted para explicarle cómo una serie de seminarios de desarrollo, «Camino al crecimiento», podrán maximizar el talento de sus empleados y enriquecer sus habilidades para que puedan actuar como catalizadores dinámicos para el cambio en su organización.

Mientras tanto, verifique que esta gente tenga días libres en su agenda para el mes de marzo.

Ayudar a los clientes a tratar con las legislaciones

Muchas industrias se enfrentan con legislaciones cada vez más severas que pueden afectar los costes y alterar las prácticas de trabajo. Al ofrecer a sus clientes consejos y asesoramiento práctico, un proveedor puede demostrar su responsabilidad y un gran cuidado por el cliente. En esta carta, un fabricante de pintura reconoce los problemas con los que se encuentran sus clientes relacionados con legislaciones ambientales. La carta no sólo ayuda a mejorar la relación con el cliente, sino que también brinda la oportunidad de obtener información de mercado valiosa.

Su empresa, ¿sobrevivirá a las nuevas leyes ambientales, más estrictas?

No podemos responder a esta pregunta, pero sí podemos hacer algo para ayudarlo. Al estar involucrados en el negocio de la pintura, comprendemos la presión creciente de las legislaciones ambientales con las que usted se enfrenta. Sabemos que reducir los niveles de emisión de los solventes no sólo implicaría cambiar los materiales que utiliza, sino que podría acabar con su negocio. Afortunadamente, habíamos identificado los riesgos antes de la aprobación de las leyes y hemos desarrollado una solución que tiene en cuenta tanto al ambiente como a los intereses de la industria. La solución le permitirá cumplir con los niveles de emisión sin invertir demasiado ni cambiar su forma de pintar.

No cuesta nada enterarse mejor, así que aquí hay tres pasos que puede tomar hacia un futuro más seguro:

- ☐ Por favor envíeme la información
- ☐ Llámeme para concertar una cita para hablar con un especialista ambiental
- ☐ Resérveme una plaza en el próximo seminario de junio/julio

Nos ayudará a comprender sus necesidades individuales con mayor eficiencia si se toma un momento para responder a una preguntas sencillas:

1. ¿Actualmente negocia con su oficial ambiental local?
2. ¿Está considerando cambiar de tecnología?
3. ¿Cuál es su nivel actual de emisiones?
4. ¿Puede cumplir con los nuevos niveles de emisión?

Ayudar al cliente a tomar mejores decisiones

Cuando las empresas compran tecnología nueva, a menudo tienen dudas sobre qué efectos tendrá sobre sus negocios o su práctica laboral. Algunos consejos y asesoramiento antes de la compra podrían reducir el riesgo y la inseguridad. En esta carta, una empresa de administración de documentos ofrece a sus posibles clientes una lista que puede ser utilizada para evaluar los beneficios de la tecnología nueva.

Esta lista fue diseñada para ayudarlo a verificar cómo puede contribuir a su organización el procesamiento de documentos e imágenes. Idealmente, debería conformar un equipo compuesto por directivos, departamentos del usuario y especialistas en tecnología para evaluar sus necesidades.

Podemos respaldar su evaluación llevando a cabo una valoración gratuita de sus necesidades, junto con un procesamiento gratuito de su muestrario de documentos. Para no desaprovechar esta oferta, por favor complete este formulario y háganoslo llegar.

1. El procesamiento electrónico de imágenes es ideal para mejorar la eficiencia y la productividad de las actividades de alto volumen. ¿Cuál de los siguientes es más importante para su organización?

   Correspondencia

   Cuentas

   Bibliotecas de ingeniería técnica

   Compras

   Personal

   Otros

2. Para calcular los costes y beneficios potenciales, vale la pena concentrarse sobre actividades centrales:

   ¿Qué actividad siente que se beneficiaría más de la administración de documentos?

   ¿Cuántos usuarios estarían involucrados?

   ¿Cuál es el volumen aproximado de documentos semanales o mensuales?

   ¿Cuáles son las necesidades actuales de almacenamiento para esta actividad?

3. El procesamiento electrónico de imágenes puede ser utilizado para crear documentos electrónicos a partir de una variedad de materias fuente. ¿Cuál de los siguientes artículos es su materia fuente principal?

Cartas	Facturas
Formularios de compra	Albaranes
Faxes	Correo electrónico
Recortes de prensa	Libros
Informes	Dibujos
Microfilm	Imágenes digitales
Diapositivas de 35mm	Cintas de audio
Vídeos	

4. Los documentos pueden ser compartidos fácilmente entre usuarios y departamentos. ¿Cuáles de los siguientes modelos de trabajo le interesan?

Flujo de trabajo	Trabajo en equipo
Trabajo paralelo	Ingeniería simultánea
Sociedades proveedor distribuidor	Sitios múltiples

5. Las soluciones de procesamiento electrónico de imágenes pueden combinarse con programas comerciales u otros sistemas de información. ¿Qué tipo de integración le interesa?

Red corporativa	Datos móviles
Procesamiento de texto	Cuentas
Administración de proyectos	Administración de base de datos

6. Las soluciones de imagen electrónica pueden combinarse con bases de datos existentes o con productos de administración de documentos. ¿Necesita combinar con alguno de los siguientes?

Software de administración de documentos conjuntos

Equipos de procesamiento de documentos individuales

Sistemas de microfilm

7. Un procesamiento electrónico de imágenes efectivo depende de una cantidad de procesos centrales. ¿Cuenta con alguno de los recursos siguientes en su organización?

Diseño de consultas y soluciones	Desarrollo de aplicaciones personalizadas
Implementación	Integración de sistemas
Administración de proyectos	Capacitación
Mantenimiento de sistemas	Indexación
Procesamiento de documentos	Movilidad de datos desde bases de datos
Conversión de microfilm	

Auto-examen

1. Sus clientes, ¿están al tanto de los servicios de asesoramiento que su organización ofrece?

2. ¿Qué tipo de guías administrativas podrían ser útiles para sus clientes?

3. ¿Cómo llevaría a cabo seminarios para mejorar la relación con los clientes?

4. Las listas, ¿podrían ayudar a sus clientes a estar más informados para tomar decisiones?

RETENER A LOS CLIENTES

Es más fácil retener a los clientes que ya existen que ganar clientes nuevos. Una parte del proceso para mantener a un cliente consiste en resolver sus problemas a la brevedad y responder a cualquier queja del consumidor.

Respuestas a quejas del consumidor

Esta serie de cartas cubre un espectro de problemas diferentes a los que se enfrentan muchas organizaciones. El cliente tiene un problema que o bien se resuelve de inmediato, o bien precisa de una acción futura.

Versión 1: El problema ya está solucionado

Gracias por informarnos que usted ya se encuentra satisfecho con...

Si bien es nuestro objetivo lograr los niveles más altos desde el comienzo, comprendemos que pueden ocurrir problemas inesperados, y nos alegra que se haya tomado el tiempo de llamar nuestra atención.

Es nuestra intención responder positivamente a las preocupaciones de los clientes y examinaremos cuidadosamente el proceso particular que se utilizó.

Esperamos que vuelva a utilizar nuestros servicios en el futuro, y será un gusto tratar con usted. Gracias nuevamente por ponerse en contacto con nosotros.

Versión 2: No fue posible encontrar al cliente

Usted nos contactó recientemente a causa de...

Quería hablar de este asunto personalmente por teléfono, pero no he podido encontrarlo. Si quiere, puede llamar al... (recuerde al cliente el nombre y teléfono de la persona que atiende las llamadas) para informarles cuándo podemos encontrarlo, lo volveré a llamar.

Lamento saber que tiene un problema y me gustaría resolverlo lo antes posible. Si bien es nuestro objetivo lograr los niveles más altos desde el comienzo, comprendemos que pueden ocurrir problemas inesperados, y nos alegra que se haya tomado el tiempo de llamar nuestra atención.

Es nuestra intención responder positivamente a las preocupaciones de los clientes y examinaremos cuidadosamente el proceso particular que fue empleado. Gracias nuevamente por ponerse en contacto con nosotros y espero poder hablar con usted en breve.

Versión 3: Demora en la respuesta

Recientemente nos ha contactado sobre...y entiendo que todavía no ha recibido una respuesta satisfactoria. Siento profundamente la demora, ahora mismo me estoy encargando personalmente del asunto.

O bien:

Quise hablar de este asunto con usted personalmente por teléfono, pero no he podido encontrarlo. Si quiere, puede llamar al....(recuerde al cliente el nombre y teléfono de la persona que atiende las llamadas) para informarles cuándo podemos encontrarlo, lo volveré a llamar.

O bien:

Me gustaría hablar de este asunto con usted personalmente por teléfono, y me pondré en contacto en los próximos días.

Espero poder resolver el asunto lo antes posible. Si bien es nuestro objetivo lograr los niveles más altos desde el comienzo, comprendemos que pueden ocurrir problemas inesperados, y nos alegra que se haya tomado el tiempo de llamar nuestra atención.

Es nuestra intención responder positivamente a las preocupaciones de los clientes y examinaremos cuidadosamente el proceso particular que fue empleado. Gracias nuevamente por ponerse en contacto con nosotros y espero poder hablar con usted en breve.

Versión 4: El problema requiere la respuesta de un especialista

Recientemente nos ha contactado sobre...y entiendo que todavía no ha recibido una respuesta satisfactoria. Siento profundamente la demora, ahora mismo me estoy encargando personalmente del asunto.

Su problema está siendo investigado por un especialista del departamento de... y le he pedido a esta persona que me informe sobre los resultados dentro de ...días. Entonces lo llamará para hablar del tema y, si es necesario, concertar para que el especialista lo contacte directamente.

Espero poder resolver el asunto lo antes posible. Si bien es nuestro objetivo lograr los niveles más altos desde el comienzo, comprendemos que pueden ocurrir problemas inesperados, y nos alegra que se haya tomado el tiempo de llamar nuestra atención.

Es nuestra intención responder positivamente a las preocupaciones de los clientes y examinaremos cuidadosamente el proceso particular que se utilizó. Gracias nuevamente por ponerse en contacto con nosotros y espero poder hablar con usted en breve.

Recuperar clientes que ha perdido

Aún cuando los clientes demuestren que no quieren volver a comprar los servicios de su empresa, todavía existe la oportunidad de recuperar el negocio. Si el cliente decida no continuar con la empresa, al menos la empresa ha demostrado su actitud positiva hacia la atención al cliente. Estas dos cartas muestran dos acercamientos diferentes a la recuperación del negocio.

Carta 1:

Me gustaría darme a conocer como su nuevo administrador de cuenta, y pedirle la oportunidad para encontrarnos en breve para conversar sobre de cómo podríamos llegar a recuperar su confianza en nosotros al mejorar nuestros servicios para con usted.

En primer lugar, permítame contarle las novedades de la empresa. Como ya sabrá, recientemente hemos terminado el reacondicionamiento del departamento de ventas: hemos agregado líneas telefónicas, personal y mercadería. Ahora podremos responder a sus pedidos y preguntas con rapidez y eficiencia. Hemos ampliado la zona de carga y descarga para que las furgonetas de reparto puedan encaminarse rápidamente para satisfacer los pedidos urgentes. También hemos impartido un curso de capacitación a todo el personal, y por lo tanto esperamos que note la diferencia si vuelve a intentar con nosotros.

Lo verdaderamente importante es examinar con detenimiento sus intereses individuales para darse cuenta del motivo por el cual dejó de trabajar con nosotros. ¿Fue a causa del servicio de entrega? ¿la estructura de descuentos? ¿Tuvo problemas para ponerse en contacto con nosotros, o hubo algún otro problema que debe ser resuelto?

Si tiene alguna duda o si hay algún aspecto de nuestro servicio sobre el que le gustaría hablar con nosotros, éste es el momento para hacerlo. Me encargaré personalmente del asunto, para asegurarme de que los cambios sean efectivos y permanentes.

Nuestra actitud hacia los negocios es «el servicio está primero», y por lo tanto queremos asegurarnos de que lo hacemos bien desde el comienzo y en cada ocasión. Nos ayudaría mucho si se tomara unos momentos para completar el cuestionario que acompaña a esta carta. Luego podré examinarlo cuidadosamente con el equipo de administración para desarrollar un plan de acción personal para su empresa.

Sinceramente queremos volver a negociar con usted, y esperamos que nos ofrezca otra oportunidad, o, mejor aún, lo intente durante un mes. Creemos que notará la diferencia de inmediato.

Me pondré en contacto con usted a la brevedad para concertar una cita.

CUESTIONARIO

Es un gusto tener la oportunidad de volver a trabajar con su empresa, y nos queremos asegurar de que recibirá el más alto nivel de servicio. Para satisfacer sus necesidades individuales, estaremos agradecidos si se toma un momento para completar el siguiente cuestionario. Por favor envíelo al...

¿Pudo contactarnos por teléfono fácilmente?

¿Utilizó nuestro servicio de pedidos por fax?

Nuestro personal, ¿respondió a sus dudas con eficiencia?

¿Cumplimos con los plazos de entrega?

¿Cuántas entregas diarias necesita?

¿Preferiría una misma fuente para todas sus compras?

¿Estuvo satisfecho con la precisión de nuestra facturación?

¿En cuál de las siguientes áreas le gustaría ver mejoras?

> precio/descuentos
>
> plazos de entrega
>
> frecuencia de entrega
>
> información sobre productos
>
> información sobre ofertas especiales
>
> información sobre la empresa

Carta 2:

Con gran preocupación recibí la noticia de que no quiere volver a trabajar con nosotros. Lamento la demora en mi respuesta, pero recién hoy he regresado de mis vacaciones.

Como usted sabe, hemos estado trabajando juntos durante casi .... años y me parecía que nuestra relación laboral era extremadamente positiva. Hemos intentado brindarle los niveles más elevados de servicio durante todo este tiempo y nunca fui consciente de problemas serios.

Por lo tanto, recibí con suma sorpresa la noticia de que usted ha llevado su negocio a otro sitio, sin razón aparente. Siempre estuvimos dispuestos a hablar de cualquier factor que pudiera afectar la relación –precio, entregas, calidad, descuentos, etc.– pero esta vez no nos ha dado la oportunidad de hacerlo.

Los directores y yo apreciamos la larga relación laboral que hemos constituido con su empresa, y nos gustaría que nos diera la oportunidad de hablar del tema con usted. Esperamos poder solucionar cualquier asunto que lo esté preocupando. Lo llamaré en los próximos días para concertar una cita.

Auto-examen

1. ¿Tiene una política para mantener a los clientes?

2. ¿Tiene algún procedimiento para responder a las quejas de los clientes?

3. ¿Continúa la comunicación con los clientes que ha perdido?

4. ¿Le pregunta a sus clientes si la empresa satisface sus necesidades de servicio?

COMUNICARSE CON SU FUERZA DE VENTAS

La comunicación constante con la fuerza de ventas asegura que comprenderán los productos, mercados, la competencia y las oportunidades de marketing.

Anunciar un producto nuevo

El compromiso de la fuerza de ventas es crucial para el éxito de el lanzamiento de un producto. Si la fuerza de ventas no demuestra el esfuerzo suficiente para el lanzamiento, no podrán cumplir con sus objetivos y podrían perder incentivo. Pero para lanzar un producto con efectividad, la fuerza de ventas debe creer en el producto; deben estar convencidos de que beneficiará a sus clientes.

La investigación ha demostrado que existe una demanda implícita de un producto técnicamente avanzado. Hemos diseñado la nueva gama de productos para satisfacer, e ir más allá de las exigencias demostradas por la investigación de mercado, y creemos que nuestros posibles clientes responderán con sumo interés a la nueva iniciativa.

Para ayudarlo a generar interés en el mercado, ofreceremos una campaña de información de prensa con artículos especiales sobre el rendimiento técnico de la nueva gama de productos. También podremos a su disposición una cantidad de modelos de demostración, que podrán ofrecerse a los clientes durante un período de prueba. Creemos que esto generará altos niveles de interés en el mercado y facilitarán su tarea.

La nueva gama de productos representa un avance considerable en comparación con el rendimiento de la gama actual, y nos permitirá competir como proveedor técnicamente avanzado. Para ayudarlo a explicar los beneficios de la gama, hemos preparado una guía detallada de los productos, que incluye información completa sobre cada producto, junto con el perfil del mercado y la competencia. La guía ha sido estructurada para ser utilizada como ayuda para una presentación de ventas, con afirmaciones claras sobre beneficios, e imágenes importantes para destacar los aspectos esenciales de cada producto. También ofreceremos una serie de cursos sobre los productos, para que pueda verlos en acción y aprender a hacer demostraciones.

Para premiar a los miembros de la fuerza de ventas que excedan los objetivos del lanzamiento, implementaremos un programa de incentivos que incluye una cantidad de elementos diferentes. Se regalarán puntos para demostraciones a clientes importantes, ventas de productos y ventas de contratos de servicios postventa. También regalaremos puntos para los niveles de conocimiento sobre el producto, para asegurarnos de que tengan las habilidades para presentar al producto efectivamente.

Explicar un programa de ventas

Ante cualquier programa de ventas, es esencial que el equipo de ventas comprenda los beneficios de la implementación del programa. En algunos casos, puede ser necesario brindar una breve «guía operativa».

Conexión con el Cliente es un nuevo e interesante programa para mantener al cliente, diseñado para fortalecer y enriquecer las relaciones con clientes nuevos y existentes. El programa, que se implementará a partir del 1 de agosto, se basa en el éxito de Cuidado del Cliente, y lo reemplaza con un programa con altas expectativas de comunicación oportuna, constante y relevante.

A través de Conexión con el Cliente, pondremos énfasis sobre las iniciativas para satisfacer al cliente, reconquistar el primer puesto, y adelantarnos a los competidores que se nos estaban acercando. Por primera vez, el programa para mantener al cliente se dirige a los consumidores a través del producto. También estimula la respuesta por medio de cuestionarios y líneas telefónicas, permitiéndonos la consolidación de un diálogo con los clientes. La Conexión con el Cliente brindará una cantidad de beneficios importantes:

▶ Fortalecer la lealtad del cliente.
▶ Mejorar la frecuencia y la calidad del contacto con el cliente.
▶ Permitirnos tratar con el cliente individualmente.
▶ Brindar mayor información sobre las necesidades y las actitudes específicas de los clientes.
▶ Conformar un panorama claro de posibles clientes para ventas futuras.
▶ Asegurarnos la efectividad del proceso de comunicaciones.

Si bien Conexión con el Cliente estará operada desde el centro, usted necesitará estar al tanto de las etapas importantes para que pueda aprovechar al máximo el programa. Aquí le ofrecemos algunas sugerencias para su plan de acción personal:

1. Asegúrese de que haya solicitado suficiente material sobre el programa.
2. Familiarícese con el contenido.
3. Asegúrese de que toda la documentación relevante esté preparada antes de la implementación.

4. Observe las fechas de los mailings.
5. Haga un llamado a los clientes para asegurarse de que hayan recibido el material en las fechas apropiadas.
6. Responda a cualquier duda o preocupación que pueda surgir del cuestionario.
7. Responda a cualquier carta.

Conexión con el Cliente nos permite salir adelante en el trato con los clientes posibles y existentes como individuos. El programa está diseñado para convertirse en una herramienta de marketing todavía más potente, que nos permitirá comunicarnos con los clientes individualmente y a largo plazo. El marketing individual a este nivel será importante para mantener al cliente de por vida.

Preguntas y respuestas

P: ¿Para qué se ha implementado el programa?

R: Para darnos una perspectiva mejor de las necesidades del cliente y mejorar la calidad y la frecuencia de la comunicación con el cliente. Las encuestas de satisfacción del cliente nos indicaban que la competencia empezaba a alcanzarnos en cuanto al cuidado postventa.

P: El programa, ¿se aplica solamente a los clientes nuevos? ¿Qué sucede con los consumidores existentes?

R: Algunos aspectos del programa, como las revistas trimestrales, las encuestas a los clientes y el material sobre el mercado serán enviados a los consumidores existentes a su debido tiempo.

P: ¿Cómo acceden los clientes nuevos al programa?

R: Son automáticamente registrados cuando recibimos la copia de la factura.

P: ¿Qué tengo que hacer?

R: Su única tarea es la de entregar a los clientes el paquete informativo después de la implementación del programa. Utilice el plan de acción personal para asegurarse de que está aprovechando el programa al máximo.

P: ¿Cuánto tiempo permanecerán los clientes en el programa?
R: Los clientes seguirán recibiendo información a través del ciclo de consumo. Cuando compren otro producto, comenzarán un ciclo nuevo.

Incentivar la capacitación

Si ofrece programas de capacitación comercial, es importante que incentive la participación completa. Esta carta describe los beneficios de la capacitación para vendedores individuales.

Los vendedores exitosos logran sus objetivos no solamente gracias a sus habilidades personales, sino también a través de la planificación efectiva, el conocimiento profundo del producto y un compromiso con la calidad del servicio de atención al cliente. Si tiene la oportunidad, el deseo y la capacidad de lograr la excelencia en todo lo que hace, los resultados pueden ser excepcionales.

En palabras prácticas, esto significa que venderá más, mejorará su rendimiento personal y ganará la posibilidad de volver a negociar con sus clientes satisfechos. La capacitación continua y el desarrollo personal son vitales para asegurarse de que tiene las habilidades profesionales para ganar en un mercado ferozmente competitivo.

Si quiere avanzar en su carrera comercial y aprovechar al máximo las oportunidades que le ofrece el líder del mercado del Reino Unido desde hace 18 años consecutivos, hable con su director comercial sobre los cursos que le pueden ser de mayor utilidad. Estará trabajando con los mejores profesionales de capacitación de la industria, sobre programas que determinan la dirección de la industria de automotores. Ganará la confianza en sí mismo, las habilidades y los conocimientos necesarios para brindar el mejor servicio en cada ocasión.

Todo lo que necesitamos en su compromiso con la capacitación. Finalmente, es su futuro el que se pone en juego.

Cambios organizativos en la empresa

Cambios internos pueden causar confusión en una fuerza de ventas, por lo tanto es importante explicar las implicancias completas de cada cambio. Esta carta anuncia los beneficios de una reestructuración en una empresa europea de software.

Me alegra darle la bienvenida a la nueva organización. Como podrá observar, compartiremos un nombre y una nueva identidad y éstas son las claves para el éxito futuro. Este folleto le explicará los motivos del cambio, como también su papel en el futuro del grupo.

Al trabajar juntos, podremos juntar nuestras fuerzas individuales y lograr el objetivo de posicionar la empresa como proveedor número uno de servicios de software de toda Europa durante la próxima década. Durante el año que viene tomaremos una serie de pasos importantes hacia el logro de este objetivo.

En primer lugar, es nuestra intención establecer una identidad individual, unificada por toda Europa. Esto nos ayudará a distinguirnos de otros proveedores de servicios y nos permitirá aprovechar al máximo el creciente mercado de sistemas. También prepararemos una familia de productos nuevos y crearemos una base de conocimiento paneuropea para obtener beneficios de la experiencia compartida.

Para apoyar nuestra nueva identidad, estamos desarrollando una afirmación de nuestra nueva misión que señale claramente el camino futuro. También estamos trabajando sobre afirmaciones para el mercado que reflejarán nuestra reputación como líderes en tecnología, combinados con la implementación práctica. Para fortalecer nuestra presencia en el mercado, aplicaremos la identidad nueva a los materiales de soporte y materiales de intercambio. También desarrollaremos una gama de materiales de marketing tecnológicamente avanzados, enviados por correo electrónico, que nos permitirá una gran flexibilidad dentro de la organización.

Todas estas iniciativas se están llevando a cabo y estamos planificando un lanzamiento al público para la nueva identidad a principios de septiembre. Mientras tanto, agradeceríamos que tratara esta información como confidencial. Si tiene alguna pregunta sobre las iniciativas o quiere saber cómo lo afectarán, por favor hable con el director en su país.

La nueva identidad y las nuevas iniciativas de marketing son la clave par nuestro éxito futuro. Esperamos que les brinde todo su apoyo, ya que nos provee a todos de excelentes oportunidades.

Auto-examen

1. ¿Tiene alguna política para comunicarse con su fuerza de ventas?

2. ¿Publica guías para que la fuerza de ventas conozca los productos y programas de marketing?

3. ¿Incentiva a la fuerza de ventas para que participe de cursos de capacitación?

4. ¿Comunica los cambios de política organizativa a la fuerza de ventas?

Otros títulos de esta colección:

Colección Acción para el Management

Analice problemas y tome decisiones - Milano
Anímese a triunfar - Dubos
Atienda bien el teléfono - Van Hille / Dollez
Cómo hablar en público - Demory
Cómo lograr una entrevista eficaz - Beaumel
Dirija su equipo - Chandezon
Dirija sus reuniones - Demory
Domine su estrés - Mechali / Rozes
Escriba mejor y sólo lo importante - Couchaere
Estimule su memoria - Algis
Forme sus vendedores - Berne / Huglo
Hacia la calidad total - Chandezon
Interprete un balance - Prebble
La comunicación, herramienta de la empresa - Dardelet
La entrevista para seleccionar personal - Moreau
Lea rápido, lea mejor - Couchaere
Management por objetivos - Berne
Negocie por teléfono - Rozes
Negocie y venda - Bellenger
Quince técnicas para convencer - Rozes
Técnicas de la creatividad - Demory
Tomar notas, rápido y bien - Couchaere
Utilice mejor su tiempo - Vertadier
Venda más, atienda mejor - Rozes

Notas

Notas

Notas

Notas

Notas

Notas

Notas

Notas

Notas

Notas